Tom Pouce

raconté par MARLÈNE JOBERT

EDITIONS
ATLAS

Éditions Glénat
Services éditoriaux et commerciaux :
39, rue du Gouverneur-Général-Éboué
92130 ISSY-LES-MOULINEAUX

·Avec la participation de Marlène Jobert
Illustrations : atelier Philippe Harchy
Photo de couverture : Eric Robert/Corbis

Achevé d'imprimer en Italie en juillet 2010 par L.E.G.O. S.p.A.
Viale dell'industria, 2
36100 Vicenza
Le papier utilisé pour la réalisation de ce livre provient de forêts gérées de manière durable
Dépôt légal : septembre 2007

Loi n°49-956 du 16 juillet 1949 sur les publications destinées à la jeunesse.

Il était une fois un couple de paysans qui n'avait pas d'enfants. Souvent, le soir, assis près de la cheminée, ils rêvaient... La femme cousait et l'homme en fumant sa pipe soupirait :

- Ah, quel dommage que nous n'ayons pas d'enfant !
- Oh oui, lui répondait sa femme, *si nous pouvions en avoir un, même tout petit, de la taille de mon pouce, quel bonheur cela serait !*

Et quelques mois plus tard, la femme mit au monde un beau petit garçon, mais qui n'était pas plus haut qu'un pouce. Ses parents l'appelèrent Tom Pouce et l'aimèrent tendrement.

Les mois, puis les années passèrent, et l'enfant ne grandissait pas d'un centimètre ! Cependant, il était vif, intelligent, plein de malice et d'humour, très adroit et très affectueux. Un soir, voyant son père très fatigué, Tom Pouce proposa de le remplacer le lendemain pour conduire la charrette. Le père n'était pas d'accord ; le petit insista :

– *Tu as tort de t'inquiéter, mon papa, je vais me mettre dans l'oreille du cheval et lui dirai dans quelle direction avancer. Tu verras, tout va bien se passer !*

Le paysan se laissa convaincre, et le petit Tom se débrouilla si bien tout seul à guider l'attelage que son père lui confia chaque jour cette tâche.

Un matin, au détour d'un chemin, alors qu'il criait dans l'oreille du cheval :

- *Holà ! holà !*

deux étrangers, passant par là, s'arrêtèrent bouche bée :

- *Je n'ai pourtant pas la berlue !* dit l'un. *J'entends le cocher et je ne vois personne dans la charrette !*

- *Moi non plus ! il y a du diable là-dessous !* dit l'autre.

Pour tenter de percer le mystère, ils suivirent alors l'attelage, qui s'arrêta bientôt devant le paysan qui l'attendait.

- *Me voici !* cria joyeusement Tom Pouce, puis, dès que son papa l'eut posé à terre, il alla s'asseoir sur un brin de paille.

Les deux étrangers étaient ébahis. Ils observaient avec beaucoup de curiosité le petit bout d'homme, lorsque l'un des deux en tirant la manche de l'autre chuchota :

- *Notre fortune est faite ! Achetons ce bonhomme et montrons-le dans les foires. Les gens paieront cher pour le voir !*

Ils demandèrent donc au père quel prix il en voulait…

- *Il n'est pas à vendre, c'est mon fils !* s'écria-t-il.

Mais Tom Pouce, qui avait tout entendu, grimpa le long des habits de son père pour lui murmurer à l'oreille :

- *Prends donc l'argent qu'ils vont te donner ! Je trouverai bien le moyen de me débarrasser de ces deux grands benêts !*

Alors le père, qui avait une grande confiance dans l'intelligence de son fils, le vendit pour quelques pièces d'or.

- *Mettez-moi sur le rebord de votre chapeau, ainsi je verrai le paysage,* lança le petit à l'un des deux hommes…
Et il partirent… Ils marchèrent tout le jour sans s'arrêter.
À un moment, Tom Pouce demanda :
- *Veuillez me poser à terre ! J'ai un petit besoin urgent… Si je faisais pipi sur votre tête, pour vous ce ne serait pas très amusant !*
À peine eut-il touché le sol qu'il s'élança à travers les brindilles.

- Continuez sans moi ! leur cria-t-il avant de plonger la tête la première dans un trou de souris. Les deux compères se précipitèrent à quatre pattes dans les grandes herbes, mais la nuit tombait déjà et ils eurent beau chercher, ils ne purent le dénicher.

Ils reprirent leur chemin, tout en se demandant comment était-il possible de se faire avoir à ce point, par un si petit bout de gamin... Tom les laissa s'éloigner et s'installa pour passer la nuit... Au bout de quelques minutes, il entendit les voix de deux autres hommes qui approchaient.

- Le curé du village est si riche, le vieux bougre, que d'aller le voler ne serait point un péché ! disait l'un.

- Ouais ! Mais sa maison est bien gardée ! Le plus difficile, c'est d'y entrer ! ajoutait l'autre…Puis ensemble ils se lamentèrent :
- Comment faire ! Comment faire ?
- Je vais vous le dire ! cria le petit Tom.
Les deux brigands s'arrêtèrent stupéfaits et du regard fouillèrent l'obscurité.
- Daignez vous baisser et vous me verrez !
Les deux complices, en apercevant le minuscule Tom Pouce, furent sidérés.
Ils s'agenouillèrent pour mieux l'observer.
- Et comment t'y prendrais-tu ? lui demanda l'un des deux.
- Très facile ! Je me glisse sans peine à travers les barreaux des fenêtres, et je vous passe tout ce que vous voulez !
- Allons-y tout de suite alors ! s'écrièrent en chœur les voleurs.

Chez le curé, tout le monde dormait. Tom Pouce se faufila comme prévu à travers les barreaux et dit soudain en criant :

- *Vous voulez vraiment prendre tout ce qu'il y a dans cette pièce ? La vaisselle, les couverts en argent, les verres en cristal, et même les pendules, espèces de grandes crapules... ?*

Les deux brigands lui firent des signes pour qu'il parle plus bas, mais le petit Tom fit semblant de ne pas comprendre.

- *Quoi ! vous n'entendez pas ? Vous voulez que je parle plus fort ? Soit ! Dois-je passer par la fenêtre tout ce qu'il y a chez ce brave curé ?*

Et ce disant, il jeta par terre trois ou quatre verres...

- *Oh ! que je suis maladroit !* fit-il en se tordant de rire.

La servante, qui dormait dans la chambre voisine, sursauta.

- *Allez, maintenant, assez joué,* chuchota un voleur, *ne fais plus aucun bruit, passe-nous les objets de valeur.*
- *D'accord, d'accord, tendez vos mains. Je vais tout vous passer par la fenêtre !* hurla Tom Pouce de plus en plus amusé.
La servante, épouvantée, sauta de son lit et courut à la porte.
Cependant, les deux voleurs, qui l'avaient entendue venir, s'étaient déjà enfuis dans la nuit… Elle alluma une bougie, mais ne vit rien d'anormal…
Le petit Tom s'était caché dans la grange à côté, sous le foin…
Il se fit un nid douillet pour y dormir un peu, en attendant de retourner à la maison de ses parents aux premières lueurs du soleil.

Mais Tom Pouce n'était pas au bout de ses aventures… À peine le ciel commença-t-il à s'éclaircir que la servante alla ramasser du foin pour nourrir la vache du curé…

Elle en prit une bonne brassée, et, dans cette brassée, se trouvait justement Tom Pouce si profondément endormi qu'il ne s'aperçut de rien. Il ne s'éveilla que lorsqu'il fut sur la langue de la vache qui s'apprêtait à mâcher ! Le tout petit eut vite fait de comprendre ce qui se passait. Il se démena pour ne pas être broyé par les grosses dents, puis se laissa entraîner jusque dans la panse de l'animal.

- *Quelle belle glissoire, dommage qu'il y fasse si noir,* se dit-il en plaisantant, car il n'avait pas vraiment peur... Mais voilà qu'une avalanche de foin lui tomba sur la tête, la vache ne cessait d'avaler et d'avaler...

Tom Pouce s'écria :

- *Arrête ! par pitié ! arrête, s'il te plaît ! arrête ! Je te supplie d'arrêter.*

La servante, qui était à ce moment-là en train de traire la vache, écarquilla les yeux de stupeur, puis elle se précipita vers la maison, en renversant son seau de lait.

- *M'sieu le curé , m'sieu le curé, ya la vache qu'a parlé... ya la vache qu'a parlé !*
- *Voyons, c'est impossible, tu le sais bien, calme-toi,* dit le curé, tout en allant tout de même voir à l'étable ce qui se passait.
Le petit Tom était toujours en train de crier :
- *J'en ai assez de ce foin ! Je vais étouffer moi ! J'en ai assez !*

Le curé fut saisi de frayeur : sa vache venait bien de parler. Voyant là quelque chose de diabolique, le vieil homme fit abattre immédiatement la pauvre bête. Un boucher la coupa ensuite en morceaux, l'emporta, et la panse où se trouvait Tom Pouce fut jetée sur un tas d'ordures.

Bientôt un grand loup affamé, qui rôdait par là, l'avala goulûment avec tout ce qui était dedans…sans prendre la peine de mâcher. Heureusement ! C'est ainsi que Tom Pouce se retrouva sain et sauf, mais, toujours prisonnier… et dans un autre estomac… celui du loup. Après réflexion, le petit Tom se dit que la meilleure solution était d'essayer de s'entendre avec le loup…

- *Cher Loup*, commença-t-il…
- *Ouais…* fit l'animal.
Il avait si faim qu'il n'était même pas étonné d'entendre son estomac parler…

Le petit Tom continua :

- *Tu m'es sympathique, et je vais t'indiquer un bon endroit pour faire un somptueux repas.*
- *Aaaah ! Et où cela... ?* fit le loup intéressé.

Tom lui expliqua alors où se trouvait sa maison et ajouta :

- *En entrant par le trou de l'égout de la cuisine, personne ne te verra, tu trouveras là des saucisses, du lard, du jambon et même quelques surprises.*

Le loup se lécha les babines et y courut tout droit.

Il entra par le trou de l'égout et dévora, dévora, dévora tout ce qu'il trouva.

Mais lorsqu'il voulut ressortir, son ventre, devenu énorme, l'empêcha de passer : il se trouva coincé.

Alors Tom Pouce de toutes ses forces cria :

- *À moi, au secours ! À moi !*

- *Tais-toi donc, tu vas réveiller toute la maison !* lui dit le loup.

Comme c'était exactement ce qu'il voulait faire, le petit continua de plus belle.

- *Au secours ! À moi ! Au secours...* Il hurlait si fort que ses parents se réveillèrent immédiatement et se précipitèrent dans la cuisine.

- *Papa, maman, c'est moi, je suis dans le ventre du loup !*
- *Ciel ! Ciel ! Notre petit !* s'écrièrent-ils complètement affolés.
Aussitôt le père abattit le loup en lui donnant un grand coup de hache
sur la tête, puis ouvrit vite le ventre et Tom Pouce fut enfin délivré.
Ses parents le couvrirent de baisers et se jurèrent alors de ne plus
jamais, jamais, se séparer de leur cher petit trésor.

Fin